U0064357

劉福春・李怡 主編

民國文學珍稀文獻集成

第二輯

新詩舊集影印叢編　第62冊

【朱湘卷】

石門集

上海：商務印書館 1934 年 6 月初版

朱湘　著

花木蘭文化事業有限公司

國家圖書館出版品預行編目資料

石門集／朱湘　著 — 初版 — 新北市：花木蘭文化事業有限公司，

2017〔民 106〕

210 面；19×26 公分

（民國文學珍稀文獻集成・第二輯・新詩舊集影印叢編　第 62 冊）

ISBN 978-986-485-151-5（套書精裝）

831.8　　　　　　　　　　　　　　　　　　　　　　106013764

ISBN-978-986-485-151-5

9 789864 851515

民國文學珍稀文獻集成・第二輯・新詩舊集影印叢編（51-85 冊）

第 62 冊

石門集

著　　者　朱　湘
主　　編　劉福春、李怡
企　　劃　首都師範大學中國詩歌研究中心
　　　　　北京師範大學民國歷史文化與文學研究中心
　　　　　（臺灣）政治大學民國歷史文化與文學研究中心
總 編 輯　杜潔祥
副總編輯　楊嘉樂
編　　輯　許郁翎、王筑　美術編輯　陳逸婷
出　　版　花木蘭文化事業有限公司
社　　長　高小娟
聯絡地址　235 新北市中和區中安街七二號十三樓
　　　　　電話：02-2923-1455／傳真：02-2923-1452
網　　址　http://www.huamulan.tw 信箱 hml810518@gmail.com
印　　刷　普羅文化出版廣告事業
初　　版　2017 年 9 月
定　　價　第二輯 51-85 冊（精裝）新台幣 88,000 元

石門集

朱湘 著

商務印書館（上海）一九三四年六月初版。原書三十二開。

石門集

朱湘著

文學研究會叢書

商務印書館發行

石門集

湘蓉

〈文學研究會叢書〉 ＊

1934

目次

第一編

目次

三

目次

五

第一編

人生

是一張「費曉樓」；
那佳美．
面對面的凝望着你．
凝望着五情在你的心上
波動有如那衣褶．
節奏的．
有如那樓頭的楊柳。
以外形她壓飫了凡庸；

點慧．
筆鋒舐過心上似的．
也回去了……
他像去了畫師的意境……
她微笑．
讚蔑而輕鬆的．
爲的不曾受窘於來者
向她要實質

人生   三

那唯有「一」知道的．

連她自己都疑問的物件。

向了楊柳她說：

「明智的是那來者．

不是為的看我。

四

看你；

他來了——

看那在心頭波動起的五情。」

楊柳應該知道

毛延壽的「昭君」說了些什麼……

花與鳥

她

美麗如一朵春花；

我

熱烈如太陽的火——

任隨我仔細端詳．

並不萎黄；

愈久她愈是芬芳。

她

她的眼珠像彈丸；

圓．

鳥．

我的心應弦而倒——

我情願捨了天空．

偎着小籠．

長懸在花氣之中。

花與鳥

五

歌

石門集

誰見過黃瘦的花
纍纍結成碩果？
池沼中只有魚蝦，
不是藏蛟之所。
人不曾有過青春。
像花開不盛，
像水長不深。
不要想豐富的秋分！

太陽射下了金光，
照着花開滿地；
春雨灑上了新秧，
田中一片綠意。
培養生命要愛情；
它比水邊潤，
比日光還溫。
沾着它的無不茂生。

六

哭城

內戰事實

他想爬上城樓向了四方

瞧瞧可有生路能够逃亡．

但是他的四肢十分疲弱——

長城他不如鳥雀在蒼蒼

還能自在的飛翔。

他的身邊已經沒有餘糧；

餓得緊時便拏黃土填腸——

那有樹皮吃的還算洪福——

歇　哭城

長城——不要看他大腹郎當．

看他的面瘦肌黃！

無邊的原野上烤着炎陽．

沒有一圍樹影能够遮藏；

等太陽在你的西頭落下．

長城那北風接着又猖狂，

連你都無法隄防。

七

石門集

八

築城的人已經辛苦備嘗．

築城人的子孫又在遭殃……

你看能等我們一齊死盡

長城那時候你獨立邊疆

看誰來陪伴淒涼！

如今你看不見李廣搖鞭．

看不見哥舒的旗旂飄揚——

與其後來看見胡人入塞．

長城你還不如倒下山岡．

連我也葬在中央……

死之勝利

為楊子惠作

死神端坐在檀木的車中；
車前有燐火在燃着燈籠；
白馬無聲的由路上馳過。
路邊是兩行柏樹影朦朧。

車中坐着那莊嚴的女神；
兩個仙女在旁手捧玉瓶。
一隻是由奈河裏的水漿，
一隻是由奈河裏的水漿。
一隻瓶有淚水貯在中央。

冬青與白楊滿插在瓶內。

黑斑的蝴蝶在枝上飛翔。

車子停下了在一座廟前。
廟宇便是生之神的香烟；
殿角上的風鈴叮噹在響——
除開了這聲息一切安眠。

殿上的琉璃燈光亮稀微。
映着爐烟之內神隱黃幃。

四根大理石的柱子嵳峩；

石門集

柱上雕刻着有力的蒼龍．

壽的玄龜以及愛的丹鳳．

麒麟象徵的是德行尊崇．

他的親戚友朋都在人世……

冷清清的教他怎去冥鄉」

「死神你的來意我已深知：

有一個詩人命盡於此時——

那年少翩翩你竟不憐惜；

他今天的死限不能改遲」

「註定今天死的莫想俄延；

陰司之內不曾有過明天．」

「人生之宴他還沒有品嘗；

也沒有逢迎衷曲的女郎」

「人生之宴我問賓客是誰？

你看豪士賢人梠腹而歸；

只有猛虎肥豬嚙在堂上……

不應招的到還免得身危」

「他的詩才已經開放花苞．

可以結成果了再去陰曹！——」

「沒有詩篇不是充滿苦辛；

世間最多感的正是詩人．

與其到後來聽他詛咒你．

一〇

何不放他現在入了墳塋」

「固然生並不美滿像天堂；
比起死之國來它總遠強——
它有熱的陽光溫暖的愛；
作對的鶯見囀弄着笙簧；
飛蛾迷戀着靈芝的燭花；
蜜蜂在花海內整着排衙；
雨天喚着求匹配的斑鳩；
五綵衣的雌鳥飛過隴頭；
縣羊歡樂得挈角尖相觸；
鹿引着雌鹿在林中遨遊。」

死之勝利

「樹的濃蔭只是等着秋風；
鐮刀在穀田上閃過鋼鋒。
河水入江江水流入東海——
芸芸的眾生奔赴去冥中。
生好像晚霞那光朵新鮮。
不到多時便將滅沒西天……
那黑衣的夜神與我無殊。
她降臨時眾生入夢鼾呼——
一旦星作燈光烏雲作被，
他們要長眠在我的幽都。

二

奈河裏是烟膏色的水波
遲緩的流動像匯漆成河；
一片天空總是半明半暗，
骸骨般的白草豎立斜坡。

在這河邊世人貴賤皆忘，
乞丐之前泰然臥着君王；
元寶亂堆在富豪的身邊。
賊在一旁並不思想那錢，

他們知道在冥國之境內，
無用場的財寶不抵安眠。

詩人來的道路各自不同；

今天這個少年任他去從——
歎息華亭鶴唳的人陸機，
他與謝朓是梟首在市中，
飯顆山的杜甫終世饑荒。

白酒黃牛一朝脹得身亡；
屈原挾着枯荷葉的衣衫
湧身投入汨羅江的波瀾；
李白身披錦袍跨在鯨背

乘風破浪漂去了那『三山』」

大柱之間忽然現出疫神——
如柴的骨架上盤着青筋；

手握赤蛇；肩上一個黑袋；

慘綠色的光輝閃在周身。

疫神與死神並立在殿堂；

依稀有一黑影來了身旁……

死之勝利

黃色的幃幔開揚起輕風；

有一聲歎息低滅入虛空，

銅爐裏香烟舒徐的上裊；

琉璃燈的火入定在微紅。

一三

鳳求凰

擬作

我像匠人
冶銅質成圓鏡．

鏡背上雕着鴛鴦——
沒有花黃

擎起來端相容光。

我像羲和
用香料薰花朵．

薰成了一朵珠蘭——

沒有青鸞
將此花佩上金簪。

我像樂工
竹管上穿音孔．

參差的駢作了笙——
沒有朱脣

低吹出求侶之聲。

一四

歲暮

在這風雪冬天。

幻異的冰花結滿窗沿。

涼飆把門戶撼——

飲酒呀！

讓我們對着爐火炎炎。

送這流年！

在這瞬息人間。

蠟燭無聲的銷下銅籤。

燭滅衆賓隨散——

高歌呀！

把哀絃急管催起筵前。

銷這愁煎！

鳳求凰　歲暮

一五

無題

只須有女郎

伸來手指溫柔

輕撫過詩章

與創痕……

此外我更無所求。

只須有女郎

為它一笑含羞

笑聲似笛腔

與鳥謳……

此外我更無所求。

只須有女郎

為它熱了雙眸

珠淚瀧篇旁

與卷頭……

此外我更無所求。

生

不要誇圜苑景物輝煌．
金殿上有黃金的太陽；
　也莫愁冥國霧氣迷茫．
　遠處有風聲顫在白楊；

它不如故鄉——
雖然故鄉
　　只須有女郎——
　　倩了女郎

只餘一片荒涼。
　　地獄都是天堂。

無題
生

一七

石門集

懇求

天河明亮在楊柳梢頭。

隔斷了相思的織女牽牛；

不料我們聚首。

女郎呀你還要含羞

好你且含羞……

一旦間我們也阻隔河流。

那時候

要重逢你也無由！

你不能怪我熱情沸騰；

只能怪你自家生得迷人。

你的溫柔口吻。

女郎呀可以讓風親

樹影往來親。

唯獨在我捱上前的時辰。

低聲問。

你偏是搖手頻頻。

馬纓在夏夜噴吐芬芳。

一八

那穠郁有如漬汗的肌香……

誰料你還不如月裏孤孀。

連月姊都心癢．

今晚上

女郎呀你看她疾翔．

你竟將回去空房！

向情人疾翔——

懇求

一九

石門集

冬

冷氣中蜷縮着枯的枝條。
三片兩片黃葉枝上飄搖；
南飛去的歌鳥留下空巢——
　　樹兒靜悄；
　　它正夢．
夢着初夏今宵。

只有白的濃霜鋪徧寰中；
只有一輪冷月懸掛天空。
肌如雪的嫦娥獨宿深宮——
　　月兒懞懂；
　　她正夢．
夢着丹桂香濃。

二〇

悲夢聲

像一聲鳥鳴．
在月如銀的夜間．
低啼過幽谷；
高叫在雲邊，
遼空是你的家．
哀音受自蒼天——

不說眠了衆生．
有誰聽你發歌聲；
就是鴉雀在枝頭諦聽呀．
孤鳥．
你也怎得留連？

冬　悲夢聲

二一

石門集

招魂辭

不怕巨靈般的薄暮雲籠

天際行來．

將徑封埋．

荒郊之內我們燎起神柴．

照英魄歸來——

赤餤熊熊照見狼豹兒豺．

陰颸颭颭；

火舌雖歪．

終將星點向四野遠噴開．

引壯士歸來——

黃河作酒漿挈九鼎濃醅．

澆到泉臺；

焚化冥財；

睡獅屠死烹成肴饌相齋——

禱靈魄歸來——

母親的雙淚瀌瀌落下雙腮；

一片深哀

蟠踞胸懷；

她在戰場上努聲調高擡．

喚兒子歸來！

憤外逼強鄰憤國事日乖．

轉戰九垓

白骨皚皚……

魂魄速歸來！

為民生國利雖喪形骸咳！

國魂的車前有六龍齊排．

紛擁而來……

彗星耀白；

魂魄速歸來！

田野蕭條只餘老弱童騃．

更乏雄才

為國祛災……

國殤之鬼在崖谷中散開．

尋國士歸來！

你們到母親的懷裏投胎．

再一度歸來！

招魂辭

二三

石門集

血紅的火忽然綠似莓苔；

時猛時衰⋯⋯

聲過蒿萊。

是銜枚的駿馬奉了神差。

送國士歸來」

二四

泛海

我要乘船舶高航
在這汪洋——
看浪花叢簇
似白鷗升沒。

看波瀾似龍脊低昂；
還有鯨雛
戲洪濤跳擲顛狂。

我要操一葉扁舟

泛海

海底窮搜——
水黃如金屋。
就中藏寶物；
水蔚藍蘊碧玉青瑤；
沫濺珍珠
燦珊瑚日落西流。

我要挈大海爲家——
月放燈花；

二五

石門集

碧落爲營幕。

流蘇綴星宿；

綃帳前龍女撥琵琶；

酗酒高呼。

任天風播入無涯！

二六

洋

瀑布只知喧囂它的長舌；
湖澤迂滯，小河跳過白沙。
淺才及綠氤氳下的竹爪；
大江似蛟挾石衝下雪山
穿轞轞作聲的暗洞深穴。
亂山中撞開一峽到平原——
寬廣舒徐的始流入東海——
唯有洋終古你面對碧空；
挾南極雪嶺冰峯下的水。

輝映着欂櫨鱷魚的炎陽。
在北斗光中扇白風凌亂。
你吞有天下之半而無聲；
紫浪雍容的涵養十萬里
當鰲掉尾在百紀夢回時。
大地驚顫張開口吻無底。
將膽色之涎將赤燄狂噴——
但是你無損你流覽鯨樹
吐發着珠花以爲樂；珊瑚

二七

石門集

林木般茂生在你的山島——
帝王家一蒸已爲寶眞窮；
還有珍珠斗大瑩圓似月．
懸在龍宮宮前來往星魚……
誰料到你竟能包羅珍怪
在連天一碧中更足驚奇．
你胸藏有太古來的秘密——
曾在其工斷柱時你窺天
得其玄秘及後女媧補罅
以肖七色虹的采石她思
啓示地子以開闢之奧義．
乃日留金孔銀的在夜間．

二八

雷雨時盡蝌蚪形的文字……
終惜地子目窮不能穿光；
怒蒙又不識字茫茫萬載
解宇宙之謎的竟無其人。
洋！唯你認識天國之璀璨；
風雷水火的變化與循環；
地之運周生命有何歸宿……
我願在烏雲幕遮起太空
人間世只聽到鼾呼時候
伴你無眠潛行峭壁危巖．
聽你廣長舌的潮音自語！

天上

天上搖曳着一片雲．
我不好穿我不好穿……
我是泥同土裏起的人；
我只能望了她舒展
在太陽前面舒展衣衫。

天上

石上流出了一股泉．
我不敢飲我不敢飲……
我的口既髒自己羞漸；
我只能讓那花去親
去親泉水的純潔之吻。

二九

那夏天

你莫忘了那夏天連大地

都渾身悶熱的時光；

你莫忘了路邊的那老栗，

爲了你他灑下蔭涼。

離開他你去了——天眞美麗，

你穿着貼肉的衣裳——

離開了他，你上前去尋覓

池水邊的一圍刺薔。

未離開的時候——你須忘記——

有毛蟲跌落在鞋旁……

聽每天的午鐘你莫忘記

那夏天的一樹風涼。

禱日

是曙光麼那天涯的一淺？
終有這一天黑暗與涵濁
退避了那偷兒自門戶前
猛望見天之巨日而隱匿
去他的巢穴，由睡夢中醒
起了室中的人行入郊野，
望闊偉的朝雲在太空上
建築黃金的宮殿聽頌歌，
百音繁會着有如那一天，

那夏天 禱日

天宮上，在光輪的火燄內，
鳳凰牽引了他們應鐘鼓
和鳴？

這真是曙光？我們等，
曙光呀我們也等得久了！
我們曾經看到過同樣的
一閃振臂高呼過但那是
遠村被災啼聲我們當作

三一

石門集

晨雞的不過是「顛沛」號呼
於黑夜這絲恍惚的光亮。
像否當初只是洪水東來，
在起伏的波頭微光隱約。
不僅祛除無望且將挾了
強暴來助黑暗淹沒五嶽
三川禹治的三川？

　　　　如我們

是夜梟見陽光便成盲瞽。
唯喜居黑暗在一切夜游
不敢現形於日光下之物

出來了的時候醜啼怪笑——
望蝙蝠作無聲之舞青燐；
光內墳墓張開了它們的
含藏着腐朽的口吻哇出
行動的白骨鬼影不沾地。
遮藏的漂浮着以及僵尸
森森的柏影般跨步荒原。
搜尋飲食披紅衣的女魅；
有狐狸那拜月的吸精髓
枯人的白骨還要在骨上
刻劃成奇異的赤花黑朵
作為飾物佩帶在腰腋間……

三二

那便洪水來淹沒了我們．
也無怨：因為醜惡與橫暴．
與虛妄本是應該盪滌的。
但燧人氏是我們的父親．
女媧是母她曾經採石
補過天共工所撞破的天．
使得逃自后羿箭鋒下的
僅存的「光與熱」倘能普照
這泰山之下的邦家黑暗．
永無希望再光華的黑暗．
怎能爲作過燦爛之夢的
我們這族裔所甘心？

禱日

日啊！
黃地蕭殺的秋蟄眠的冬
只是春之先導漫漫長夜．
難道終沒有破曉的時光？
如其是天狗……那就教羲和
驚起四萬萬的銅鐃戰退
那光明之敵！

日啊！升上罷玄天覆蓋着

日啊！升上罷！

三三

石門集

捫心

唯有夜半．

人間世皆已入睡的時光．

我才能與心相對．

把人人我我細數端詳。

白晝爲虛僞所主管．

那時心睡了．

在世間我只是一個聲盲；

那時我走的道路

三四

都任隨着環境主張。

人聲擾攘．

不如這一兩聲狗叫汪汪——

至少它不會可親反殺

想詛咒時却滿口褒揚！

最可悲的是

衆生已把虛僞遺忘；

他們忘了臺下有人牽綫．

自家是傀儡登場．

笑啼都是環境在撥弄．

並非發自他的胸腔。

這一番體悟

捫心

我自家不要也遺忘……

聽那鄰人在囈語；

他又何嘗不曾夢到？

只是醒來時便拋去一旁！

三五

石門集

幸福

幸福呀在這人間．
向不曾見你顯過容顏……
唯有苦辛時候．
無愛的往日在心上回甜．
你才露出眞面
說無愛便是洪福——
等你說了時又遮起輕烟。

有時我遠望天邊，
向希望之星掙扎而前；
一路自欣自喜．
任欺人的想像幻出凡間
所無有的美滿……
到了時只聞惡鳥
在荒郊裏笑我行路三千！

何必將壽命俄延．
倘若無幸福貯在來年？

三六

不過未來之謎

內中究竟藏了什麼新鮮。

有誰不想瞧見？

因此我一天有氣．

一天也不肯閉起眼長眠。

幸福

三七

石門集

我的心

你不累麼我的心。

你不累麼我的心？
這般勞碌着時刻不停？
萬物中只有你與流水
不曾在夜裏尋過夢神。

你不累麼我的心？

你向來沒有發過怨聲……
脣與舌終天搖個不住。
何嘗又對你謝過殷勤？

你不累麼我的心？

你不累麼我的心？
像娘對兒女好歹不分。
向了四肢你輸送血液——
不論是治傷或是行文。

你也累了我的心；

六十年之內嘗徧苦辛。
你到底停了長眠地下……

但是胞胎已化作兒孫。

我的心

三九

愚蒙

石門集

世間的罪惡算愚蒙最大。

只看戰爭世人不顧性命。

高呼着愛國呀愛國把刀

插進敵人的胸膛，再不想．

他也像自己一般有赤心．

跳盪着五情六意的赤心．

他也是為了家國致性命．

不便自家中了鎗彈睡臥

土壤中在如雷的礮聲下．

鴟鴞伴們倒地呻吟這時

自家最後的抽搐也到了……

他猛然想起家鄉隔千里．

父母年高兒女尚是蒙昧

無知但「孤苦」的罡風已將

刮進他們漸開的知識中……

那時他想到並無有親族

來送終只有自家一樣的

伙伴朝不能保夕的為他．

四〇

並為自己飄下一絲眼淚

相送那時他能不傷心麼

能不傷心這一對犧牲者？

如若知道四海中的人民

都是人類什麼事要商量．

儘可以商議只須絜貪慾，

霸道搭除了嚴防着耳中

蠱惑入強暴姦詐的言語．

在他人吹的號聲中他人

敲的鼓聲中不去拋熱血——

只是在澄清的天下自家

與鄰國的自家面對了面

商量以同情中孕育出的

明智來商議那時候悲慘

又何從出現於人世間呢？

愚蒙

四一

石門集

四二

相信

遇到人不能够便說眞理．

有時候實在要拏它藏起——

是眞話又何妨到處說明？

不過聽的他要作何居心？

現在我的人哪．

我來告訴你

有的話你聽到會羞有的

也能拏憐惜由心上勾起。

我是怕懷疑之蝟用針毛

來亂刺心那時我要奔逃

我要我的人哪．

逃來靠着你！

神與獸蟠踞在我的心裏；

它們爭上風我經當不起．

那獸旁的不怕我只怕它

教我疑心神與它是一家；

那時‧我的人哪‧

我要依賴你——

有神勇氣便會立時鼓起；

我一瞧見了你也在心底

相信

那刻‧怕它什麼狼鼠豺狼‧

反正懷疑之蝎離了身旁……

我的我的人哪

讓我相信你！

四三

希望

當日我因爲現在不能滿

我心中的預期掙它撬開

朝了新方向重尋那一反

能安睡下去那知這一來

哀哀哭着要奶漿的心臟

前惡的今好讓關在胸懷

已經十年了只尋到失望——

失望那個橡皮似的東西

落到塵土中了又能跳上

頭來變成希冀如此不疲；

一直高下的慌張了十載

現在精疲氣竭落進汙泥

裏邊去了不再充是能開

口胃的畫餅河那岸的梅

能解口渴了心哭着無奶。

總有恆河沙數了——有些人

早已焦死在胸頭只剩灰。

到頭來不悟他們在荒塚

蒼白的——還包着一團溫暖——

碰上了死神的骨架都遲

假在骷髏裏等到風一吹

爭說是這不曾枉費紛擾

今與未來所欺賣的不單

苦辛了六十年在鬼門關

永無踪影了……不能那不能……

前面還是抓住了那希望；

雨一淋它便要飛入遼遠。

有些人長着口不會言談。

希望

我一個人而已芸芸衆生。

心頭的苦申訴不到屑上，

他們被甘言巧語所籠哄。

只能含着眼淚去找近鄰

不能爲了後來的我不能

石門集

那便是螻蟻緘默的榜樣……

四六

不揚起這被欺者的咒聲！

鏡子

美麗的裝束卸下了鏡子．
知道它是真的呢還是謊；
對着靈魂它照見了真相．
照不見善惡——人造的名詞。

不響成天裏它只是深思
又深思……平坦在它的面上．
以及冷靜明白不見往常
那些幻影與它們的美疵。

四七

一個省城

江水已經算好了．喝井水的

多着呢全城到處都是臭蟲

卑鄙的臭蟲最銷行日本貨

價錢巧樣式好看菜蔬與肉

比上海貴夏天太太們時與

高領子……還不曾看見穿單袍

沒領子的男人通城的院子

有一個樹木多——那是教會的．十

大學租用着聖保羅的舊址；

每到春天——想必眞是

Spring fever——

定必要鬧風潮束門的城牆

拆了一半還有一半剩下來；

城外有茅房汽車站．

是前天

立的秋；像大雨一樣涼風在

樹堆子裏翻騰着我涼醒了．

躺在牀上想起 Havelock

幾千年前的腐話

Ellis 的 The Dance

of Life．恭維中國的古代．

說那時知道藝術的來生活……

一聲兒啼．由外邊送了進來。

一陣早鐘．

這班外國人他們專說幾百．

我出了神靠在牀上思忖着．

一個省城

四九

動與靜

石門集

在海灘上，你嘴親了嘴以後，
便返身踏上船去開始浪游；
你說要心裏牢了跳盪的心，
還有二十五年我須當等候。

熱帶的繁華與寒帶的幽謐，
無窮的嬗遞着雖是慰枯寂——

你所要尋求的並不是這些；
抓到了愛你的浪游才完畢。

在迴憶中我銷磨我的歲月；
火燒着你的形影多麼熱烈！
不必尋求你便是我的愛神；
供奉祈禱他便是我的事業。

五〇

雨

唯有從內地來的到如今
才看見「虹」

正式的在落雨。
為了買皮鞋油的緣故我
走過去了四川路橋。

形成的牆邊有竹籬圍着

勤與靜　雨

車輛

一片空地公司豎了木牌；
指明新屋所移去的地點。

沒有尾聲的喇叭喚過去。
雨落上車頂落上千佛巖
一般的大廈它沒有沾溼
那扭腰身的「賣四」那燈光
也仍舊貼了白磁在蜷臥。

五一

石門集

如今已是七年了……梅怎樣？

那一套新衣裳總該�{穿}了……

柳浪聞鶯

軍閥的檻匾點綴着錢王祠。

是「柳浪聞鶯」鳥兒已經去了；

那細腰的柳樹却還在喬姿。

同聲的我們說：

雙龍戲珠……「這是一幅好圖案.」

水磨磚的月窗上雕有雲采.

浣女在湖邊洗衣。

兵士淘米。

「功德坊」前面

柳浪聞鶯

五三

誤解

朋友！（抽象的.你或許要癟嘴.

說我在侮辱這名詞的尊嚴.

在侮辱你.不然梅仍舊是梅.

雖說作了中國的國花……可憐]

那無稽之談你怎麼好相信？

這個並非是爲我；這是爲你——

裏外透明純粹的你像水晶.

怎麼好讓「不仁」來將你蒙翳？

（原來都是你的那光華純粹；

就說我是翳你又何必擔憂？

夜氣儘管騰貓頭鷹儘管飛——

那衆星它們受了損蝕沒有？

我要真的是翳你正該安靜：

在良心上那罪名自然會嚙.

自然會時刻的不給我安寧.

好比那害蟲在花心在樹葉〕。

異常的環境與異常的行為
好比樹根樹葉你不要看我
外面沾了汙泥那金屑金灰
蘊藏在內的誰敢挈它涸惡。

誤解

或許有人拾起礦石去冶鍊，
永不凋殘的鑄成一朵蠟梅……
當然水晶的寶質當然不變；
但是那一時的翳你不追悔？

五五

風推着樹

石門集

風推着樹．
像冬天
一片波濤
在崖前。
吼聲愈大．
樹愈傲——

風推不斷
質地牢。
枝幹蟠曲……
像圖畫
寒帶正是
它的家。

五六

夜歌

唱一隻古舊古舊的歌……
朦朧的在月下．
迴憶蒼白着遠望天邊
不知何處的家……
說一句悄然悄然的話……
有如漂泊的風

不知怎麼來的在耳語．
對了草原的夢……

落一滴遲緩遲緩的淚……
與露珠一樣冷
在衣衿上心坎上不知
何時落的無聲……

風推着樹　夜歌　春歌

五七

春歌

不聲不響的認輸了冬神．

收歛了陰霾休歇了兇狠……

嘈嘈的鳥兒在喧鬧——

一個陽春哪要一個陽春！

水面上已經笑起了一渦紋；

已經有蜜蜂屢次來追問……

昂昂的花枝在瞻矚——

一片瑞春哪等一片瑞春！

好像是飛蛾在燄上成羣．

剽疾的情感迴旋得要暈……

糾糾的人心在顫抖——

一次青春哪過一次青春！

第二編

收魂

地上一條驢子將喪殘生；

天上瘸下來了太白金星。

總統也是註定今夜身亡——

他想收了驢子再去府旁。

此刻他的脾氣十分不好．

昨天的事仍舊使他煩惱；

因爲衙門裏面欠薪無錢．

那收魂的布袋用了多年．

都不換個新的昨天爛通

一點他不知道．仍在袋中

塞下當晚所收到的陰魂．

這些陰魂裏有一個文人．

瘦弱如柴的在半途漏下．

這文人的分量旣然不大．

所以由窟窿裏漏了之時．

那馱袋的老人一毫不知．

等他到了靈霄寶殿上頭

點數魂魄方才知道緣由

此刻玉皇王母恰巧不和。

因此報上殿時受了申呵。

石門集

一面蹣跚着他一面嘮叨：

「死了驢子也要親走一遭

閑散的張果老長有驢騎——

我這忙人偏擎腳當驢蹄——

只收魂魄自家老不死掉……

一閉眼睛誰邊怕不公道」

如今他正走過郊野中間——

大平原上臥着夜之白烟；

饅頭樣的墳墓映着寄燐

柏樹圍着好像一些死人；

在輾轆井邊狗低聲叫喚。

它曉得是神道來了宅畔。

向了門神金星說出來由；

門神對他熟人樣的點頭。

因為白鬚使者十天以前

來收過一閨女她是輪姦

身死的不幸呀這個家門。

喪了女又要去得力之牲

進了大門他便走去廚房。

找那司一家之命的竈王。

竈王揉開了烟熏的紅眼。

涎水流滿頦鬚流滿黑臉；

他見金星不幾天又前來，

怕是玉皇大帝放的欽差

來查尅扣芝蔴元寶一案。

在神龕上不覺慌得儘顝……

等到金星說明來的緣由，

他才散了滿肚皮的憂愁。

「天還沒有亮這畜生就鬧」

收了它去到能睡個早覺」

冒起火的金星眼皮一翻，

說是竈王的話用意雙關

不顧司命心虛忙認失言。

兩員老將怕要鏖戰竈前。

努着朦朦金星行過紙窗。

他聽到母親在夢裏悲傷；

一時刻抽噎一時刻囈語；

父親打鼾……沒有忘記閨女。

不過他整天裏挖地鋤田

所以夜中石頭樣的酣眠。

驢子也酣眠着他在夢中

還是遮了眼在磨旁作工……

他在胸上覺到金星伸手，

還以爲是主人催他快走……

不知生命之磨他已轉完，

催他去是見天帝見天官。

收魂

六三

石門集

上路以後走了一些路程．
老者便將布袋扔在街心——

「這個畜生比那富翁還重！
擎我的肩膀壓得真酸痛」

「你自家的身體知道關顧．
旁人你就任意拋上石路！」
老者開言氣在心頭直衝；
髭鬚抖着有如吹過輕風．

「你這不知價的長耳畜生
——」
「我的聽官無須加以譏訕．
雙耳垂肩正是大福之相；
不是貴人還沒得在頭上．

六四

擎它作扇蚊蚋見而遠避．
不須再去杭州找舒蓮記．」

「當真天生的好毛扇一雙；
加上你的纖步有如女郎
——」

「誰教他們擎鐵皮來包我？
天足我知道是十分灑脫．」

「還有你那解放了的聲音
——」

「至少它強似單調的鳳鳴．
得意之時不妨引吭高歌．
那裏顧得音韻不甚諧和
事不公平我也身歷不少．
今天並不是我初次受惱
——」

任人都菲薄我，說是臉長；

有誰笑洪武他原是聖皇！

隆準的漢高祖誰敢鄙笑？

我的長臉偏生受盡譏誚！

狠狗熊他們都作了天星；

留下我一個在世間苦辛。

邛魂

孟浩然騎我得詩句梅邊；

張果老倒騎我游戲人間——

「好能我也騎你歸去九天」——

說着太白金星跨驢腰……

於是馱人的命死也難逃。

六五

第
三
編

兩行

好些人恨你詛咒你……

有一個・我知道感激。

兩行

六九

石門集

四行

清明

一

斑鳩掩了口兒正在啼哭；
竹籤上有錢紙飄飄；

一樹冬青只兒葉兒低覆，
那樹椿是長在陰曹。

四行

二

完結了這醜陋的生活！

這個你不能責備環境……

除了人，環境還有什麼？

唯有懦夫才責備旁人！

七一

石門集

四行

三

人性．當然人類要重視——　　　　犧牲了自我為着今日……

超越的古聖　　　　　　　　　　　將來呢．大神？

四行

四

魚肚白的暮睡在水窪裏．
在悠約的草息中作着夢。

雲是淺的．樹是深的朦朧。
遠處有燈火了．紅色的稀。

四行 三　四行 四

七三

三疊令

石門集

一

我還是一個孩子．

沙灘裏蓋着樓房。

憂慮的常時自思

我還是一個孩子

不能建國福來茲．

只知道堆砌文章……

我還是一個孩子．

沙灘裏蓋着樓房．

七四

三疊令

二

有一個驚心的真理．
說出來你滿口否認。
包圍着你滲透了你．
有一個驚心的真理．

如同地面上的空氣．
永恆的却無臭無聲。
有一個驚心的真理．
說出來你滿口否認。

三疊令 一　三疊令 二

七五

迴環調

石門集

為了開墾這久荒的土坡．
屑起鋤去殺長蟲於草莽
流血在山崗有七十二個．
有誰想到這久荒的土坡？
只聽見雞鵝隨了人擾攘……
多事的家門尚不知悔禍．
「貧窮」與「災難」在簷下作窠．

七六

黑色的啼聲一天天儘忙；
它喚去的何止七十二個．
「紊亂」那母親所生的「罪惡」
向了錢莊屢次借貸銀兩
抵押便是這久荒的土坡．
雖說可羞的是同室操戈．
為着要家門不典與「滅亡」

守業的兒孫今天會迴想，

又滅亡了許多七十二個。

為了開墾這久荒的土坡

還不曾看見有田疇交錯；

流血在山崗有七十二個。

迴環調

七七

巴俚曲

一

無名氏三百留得有「經」在。

「離騷」是愚人蠢漢的言詞。

卓文君的丈夫犯了拐帶

與訛詐榮華了誰打官司？

五斗米嫌少小官僚告辭；

雖是閑情畢竟難逃酒字。

寫着「清平調」李白眞放肆

不講臣下的禮饞嘴喪生。

是因為詩聖餓得像針刺……

「頂離奇呀便數這夥詩人！」

無端得了山河無端破敗；

在南唐宮裏袒裸着瑕疵

靠在牢縲上唱他的感慨……

傳誦到如今有一些小詞。

荒唐的柳三變念茲在茲。

只見他成天在院裏窺伺；

為的他會兜搭最有意思.

幫着密姐兒把新調翻成.

棺材錢便出在她的箱筒……

「頂離奇呀便數這夥詩人！」

判過姦情案子的筆奇怪！

居然攀起來書兒女之私；

七十歲老頭子居然談愛.

惹得女君官為他害相思……

不是在湖船上望見白齙.

這病兒怕不要將人害死！

巴俚曲 一

那時節任多少嫣紅姹紫.

任如何在亭畔埋起尸身.

總不得還魂到婺江女子……

「頂離奇的便數這夥詩人！」

泐話：

詩神那許多為了你造次.

顛狂的我真數不完名字；

由別人去詛咒狂笑連聲——

你却不好跟着說三道四.

「頂離奇呀便數這夥詩人！」

七九

巴俚曲

二

朱湘．你是不是拏性命當玩．
這麼絕食了兩天只吞水氣．
弄得頭痛心忙怕口裏發酸；
還是有大題目當前像甘地
那麼絕食七十天爲了印度．
或是牛蘭爲了證明共產黨
捨去積極也走得消極的路？
你的目標究竟是什麼呢請——

別人的性命與老母雞一般；
唯一的目標在延續下生息．
手段採用的是什麼那不談——
你的可是雞毛就這麼拋棄？
新中國有的是那班大人物．
用不着你這條鯽魚作供養；
並且．你的骨頭吞下了難吐……

八〇

你的目標究竟是什麼呢——

哦，你還不曾走過餓這一關。

這兩天來你全是好奇之意。

要瞧有什麼往空肚子裏鑽

你好抓住盤問它一個底細……

這個除非是你擎「餓死」抓住；

可是一看見了他你也長往

從你的口裏消息無由吐露……

巴俚曲　二

你的目標究竟是什麼呢——

沁話：

朱湘，我知道什麼你都不顧。

只有好詩你是垂涎的放槍；

你可是想作危用想作老杜……

你的目標究竟是什麼呢——

八一

石門集

巴俚曲

三

恰好是亞吉里斯的反面——
一剛強其餘都是孱弱；
在這大塊裏它時隱時現．
是百分內九十九分差錯
與徼幸一分正當相摻和。
旣然是人不能够單留着
它扔掉了其餘的那委瑣．
於是永遠便不會有一天

能培養起來純粹的自我。

在這泥水中的五六十年！
靈囚在肉裏帶鐐銬鎖鍊；
人事饕餮它的天性捱餓；
只是爲了眞誠難得遇見．
那是心甘情願的這造作；
要把勇氣悶死了這怯懦

這氣忿的烟遠色慾的火
熾熱在胸膛裏不妤閃躲；
遠情感一頭在苞發新鮮
一頭又養黴菌遠麼繁影。
在遠泥水中的五六十年。

照舊一般半生並沒有變。
雖說是要改革它我發過
許多的願心……它照常留戀
這痛苦中的歡欣這渴惡；
它不肯不能把自已解脫。
還有半生難道也是遠麼？

巴但留　三

難道也是兩條好腿來跋；
在哭裏笑在寒冷裏熬煎；
夢見完美在殘缺的居所。
在遠泥水中的五六十年？

泐話：
造物！你不該放蟲在花朵。
如其你要的是好花碩果——
如其你的心裏也有矜憐，
你便不該把這顆心給我，
在遠泥水中的五六十年！

八三

兜兒

一

像皮球有貓來用爪子盤弄．

一時貼伏着一時跳上了頭；

唯有愛情在全世界的當中．

像皮球。

除開游戲的愛情還有一種——

盤弄它好比盤弄老鼠啾啾。

鬪兒兒

狂暴自私它要兼吞下靈肉．

矛盾的是長着圓臉像兒童．

又長鬍鬚唯有愛情用溫柔．

與滑膩遮蓋起內心的空洞．

像皮球．

二

石門集

脚踏汙泥我眼睛望天……
明明也知道它是大氣，
並沒有泥鰍扭在裏邊，
沒有莩薺。

栽秧的農人脚踏汙泥，
眼睛望天，
口裏唱秧歌多麼歡喜……

汗珠滴進了眼眶裏面。

眼睛望天我脚踏汙泥……
好比黑漆，
那夜雲堆得多麼嚴密，
不見有星光一點半滴。

眼睛望天，
我設想有星躲在雲裏……
雖說它黑得好比汙泥。

三 贈張競生

不必作英雄去的風磨搖戈！
蟲海蟲山這世間要有多少？
自古來的理想都埋進方窠……
悶了肚及只有尸蟲春暗笑！

離開了你的手美變成醜惡。
你推了風磨
想栽起幸福來點綴這方窠——
那知道長成的是膓膓藥草！

每個人都主宰育他的海島；
不必作英雄作事的去騷擾。

英雄與蟲蟻都長睡在方窠……
今天又有你來向風磨搖戈！

鬬兜兒

八七

櫻桃在玄武湖上要人培養。
進獻與宗廟用不得那微小。
酸澀的櫻桃——
那慚愧與那罪名落在頭上——
祖宗並不知道獻者却難當
從前有過人採葡萄於異邦；
不須我講是誰你早已如道……

四

這一樹鮮紅你要好生培養。
莫讓來日的人獻果與宗廟。
選用到葡萄——
是從你的手中有白花開放；
甜美勻圓這夏天便等櫻桃……
你知道的番梨何以發異香——
櫻桃在玄武湖上等你培養。

五

理想當日虔誠的我挙贊儀．
那潔白的勻圓拜你爲師長．
到如今有十年我誦讀不息．
理想——

去領會向別人問不出端詳。

在廳堂上我誦讀它在廁裏
我誦讀着霎時一現的文章……
原來這便是你緘默的深意
理想——

那無字的書你說要憑自己
三年前你挈人生放在案上．

鬪兒兒

八九

詩神要他的香火……

六

石門集

無論是松枝上飛過燈火．

彄是白零沈沈．

那三炷的芬芳熱烈婀娜．

兩盞的光明恬靜

總要燃給詩神。

九〇

看幔後的金身．

想看見詩神的一團魂魄．

迂泥的唯有癡人……

幽然映了燈火．

〔香烟在爐裏婀娜〕

木起面皮的他看見詩神．

七　舊信

是一片鑰匙打開了「往年」
那箱匣有白的情黃的詩：
翡翠的希望與水晶的凝，
光朵依然的又攤在目前。

敲得開那廊盡頭的宮殿。
那甕門教那傾瀉下高險，
狹隘的江水鬆弛了奔勢，
安詳的好去尋海洋灌田——
像一片鑰匙。

頤和園的長廊閃映大池；
有一片鑰匙

鬧兒兒

九一

石門集

八

人生是一個謎當要緊的關頭。
手揿着手的失敗與成功並立；
都向了你她們丟眼風那意義
靠不得旁人要你自家去猜透。

大家辛苦釀成的該大家享受；
莫讓人奪去了連黃蠟都不留。
人生是一窠蜜……

鬧烘烘的聽眾有如喝了燒酒……
如今聽着假笑假啼他們自己
也得假啼假笑在散場的時候……
人生是一齣戲。

九二

九

上了戲臺人就該忘去自我；
那照例的言詞都早已安排……
「不許自作聰明，按着劇本說」——
　　爲了全戲臺。

擧一場熱鬧給人生也正該。
有那替主角編的劇本不錯——
演的時候呢你看他可胡來？
　　憑了恰當的眞自然的造作
　　他主有戲臺。

正是爲的假游戲性便作怪
在喉嚨裏我們接受了生活。

騙兜兒

九三

攙著人生你去踏狐步……
牆花應分是推笑的人;
你給她雙臂給她雙股.
才能算是不幸負人生。

一○

石門集

熟人慶?好面生的也成……
反正只有一圈熱奎舞;

只有一絲節奏在浮沈。
非洲似的夜四面佝匋;
有期限的是這光這聲……
誰說梅女哀不識時務?
當然她是另一種人生。

九四

二

說自已是好人那當然不敢……
是的弱點像蜂窠我有一身；
却是也有一窠蜜能敎他饞，
好甜食的那人。

雖說不贓它與鹹恰好相成。
這世界如同五味，有苦有甘。
要接受除非是全盤的……你能？
全好的人如其有未免膩煩——
你說是歷好人？

如其不嫌無味的蠟塞牙根，
如其還有孩子氣吃裏帶玩……

陽兒兒

九五

一二

無傷害的游戲很少人會玩……
你看船舶像白鷗戱在海裏．
掉花樣成了軍艦它就不算
無傷害的游戲。

這還是逃不出野蠻的境地；
你看孩子淘氣不能作客觀．

石門集

不單是害人．他還常害自己。
憑了假事件發抒眞的情感．
讓它脫離了渣滓化成白汽；
唯有嚴肅的藝術會作超然．
無傷害的游戲。

九六

〔三〕

「唯有錢最好」是一句老生常談……
黃白的太陽月亮它們也很老。
不愛錢的人中外誠然都不少；
但是他們也得住家穿衣吃飯。
在他的蹄下這世界呻吟呼叫．
威權最大的只有一個神「艱難」——

唯有錢最好．
錢能從他的手裏賺買到欣歡。

整個文化都是錢作後臺老板——
事物都有反面的不必說鎗礮——
是誰撐起了那聖彼得的燦爛？
唯有錢最好——

鳳兜兒

九七

一四

憑了這一枝筆，我要呼喚
玄妙的憧憬那在心坎裏
飄忽的，我要把她摟抱起．
吻，吻把魂靈掏給她觀瞻．

她要爲我流淚爲我歎氣．
因爲那上面有愁絲絡滿——

憑了這一枝筆．
都描畫不盡它們的鬱盤．

魂靈也自有大紅的喜歡．
白的熱烈……呀！要是我能以
長留住她那時爲我的顏．

憑了這一枝筆！

十四行

英體

一

石門集

看看遠方的那團烽燧

在邊關百尺上揚起光華……

它曾經照過胡兵結隊，

也曾經照過美人青塚，

悄無聲的駿馬馳走平沙；

氈帳般的天邊哽咽胡笳，

或是降將孥重裝夜擁。

在雙星之下望斗柄枒枒……

這疆場有如一片墳墓

埋着不知多少名將嬌娃；

烽火是燐在壁前飛度，

照見憧憧鬼影飄忽紛拏；

那悲歉着的荒原夜風

有多少啾啾滲在當中！

二

或者要汙泥才開得出花；　便沒有。如其並沒有塵土；

或者要糞土才種得成菜；　或者沒有獸慾便沒有人；

或者孔雀車輪蝶與斑馬　或者由原始人所住的洞，

離不了癢癩溼然的熱帶；　如其沒有痛苦饑餓寒冷．

或者泰山必得包藏兇惡；　便沒有文化針刺入天空……

或者並非純潔的那瀑布；　或者世上如其沒有折磨．

成者那變化萬千的日落　詩人便唱不出他的新歌。

十四行　英體

除去了生活人事睡眠疾病．

浪子的童年與蝸牛的老朽．

這六十年並沒有多少餘剩；

至於幸福的靈那更是少有．

作不了神仙拿我們這整世

所有的幸福由廢料中剔開．

凝鍊成一粒九藥縮爲一日……

三

我們這種凡夫只好在天災

人禍之下等候着這些靈那——

有時讓「不耐煩」硬派給區區．

有時讓「疏忽」那疲勞的結果

由我們的面前擺去了歡娛——

終於它到了那長期的等待

辜我們的胃口又久已敗壞！

一〇三

四

只是一個醉雖說酒有千種……
熱帶的葡萄與寒帶的高粱；
酸甜與濃淡白與綠黃與紅……
反正是一團熱在肚裏頭。
有多種的熱戰爭便是屠殺；
不凝滯於物的愛世間少有；
權位要高需要更多的骨架……

純潔的熱只有藝術只有酒。
在一切的熱裏唯有酒最好；
一醉你便滌淨了飢餓痛苦；
醒來時你像蝴蝶在天上飄。
雖說是冬天聽到風在狂呼。
用不着墳墓只須一只酒罈
封起我的灰連了我的詩卷。

十四行 英體

一〇三

五

如其你的目力能看透衣裳.

看到膜起心臟的那層薄紙

打印在眼前會有許多字樣——

或急或緩隨了情感的手指。

如其你能看透脂粉與面具——

你會看見思想沸在頭顱裏.

如同一幕晃搖的電影給與

觀者的印象只是眩暈迷離.

黑白的魔鬼天使你能看見;

你又能聽見它們呼出的聲.

這聲調〔如其你的眼光算尖〕

有白也有黑不過灰佔多成……

都好却並不多見純白純黑;

只有灰與模糊在你的四圍.

六

沒有地震那澇佩伊故墟·
便無從留下珍貴的文獻。
科侖布是海盜他的貪慾；
却拏新版圖加上了地面。
「聖經」撐起有千年的文化·

幾幾乎拿蓋里留給殺害——
科學釀成了地獄的批發·
都是土星見了降下天災。
人事的循環太難於捉摸……
建設來自破壞善產生惡·

十四行　英體

一〇五

七

石門集

我的詩神！（愚夫聽到我叫你．
都以爲你是活的生在世上——
我不也成了愚夫如其費力
說你並不在人世地獄天堂）
我的詩神我棄了世界世界
也棄了我；在這緊急的關頭．
你却沒有冷反而更親熱些．

給我詩鼓我的氣替我消憂．
我的詩神這樣你也是應該——
看一看我的犧牲能那麼多！
醉睡與動靜就只有你在懷；
爲了你我犧牲一切犧牲我！
全是自取的；我決不發怨聲！
我也不誇我愛你我的詩神！

八

愚蠢的是人類需要大工程
來製造雨具衣裳建築房屋——
鴨子能這樣說憑了那一身
羽毛不沾水溫暖的白絨服。
儘管是法力無邊人類所崇
拜的神不曾有過一百隻手——
那一萬二千隻眼睛的飛蟲．

不說凡夫便是天帝也沒有．
要說人勝似動物在於鏊力．
他又不算是十分奉公守法——
役他物為己用的還有螞蟻．
他把乳蜜露的牛飼養在家。
不完美人類天生得又孱弱……
它却成了世界的主人為何？

十四行 英體

一〇七

便只有這一絲向上的眞誠

九　　石門集

可貴卑微儘管充斥着不

要在汙泥之內你踏得愈深．

才愈覺得天空是自由奮發．

想必有人生便少不了汙泥……

是在那裏人類的始祖蠕動；

怎麼能在身上不帶有遺跡．

雖說他也有心望望着天空？

好的是童年不分善惡美醜——

旣要踏新鮮的感覺於水田

也要不在人造的一切內守

去灘上去坪內吸藍的新鮮；

美醜分辨得清楚成年也好——

該喜歡的時候喜歡該惱惱．

一〇

向了公認為真實的君子，

我要追問，有時處境離奇，

逼得他不能不願吐實詞，

他是否也拿白謊來遮蔽？

護身之色許多動物都有；

便不能說人類一種動物……

要虛偽不在世界上存留，

除非人類生命全體覆沒。

太陽並非光與熱的源泉——

不信，去問冰期去問日蝕。

人羣的平行綫伸到永遠，

總平行不了有交互之時。

真並非事實也無足失望……

正該去創造的真這理想——

十四行 英體

一〇九

石門集

一一

殺得人的鴉片醫士取來．
製成藥救濟了許多的人—
它又牽文士的想像展開．
讓節奏的文字就中馳騁。
吞服砒霜的有權臣愚婦
由七竅中流出生命之液—
和了酒吃它的又有漁夫．

他捕魚在淵水冷如冬夜。
人類都需要食品作營養—
百病叢生何以都是由口？
懲羹吹齏的古代有顛狂．
他想群了穀來延年益壽．
事物不能說它有毒無毒—
只有適當不適當的程度。

二〇

一二

草還沒有綠過來。但是空中
膨脹開的時已經顯得異樣。
竹子冬青不見得怎麼變動；
柳枝子却有了小牙齒在長。
面色已經活動了開朗了山
雖說它還是硬起頭的沈靜。
湖水袒開了胸口對着蔚藍；

十四行 英體

二二

它的情緒在飄搖——許多游艇！
冬天好一個冬天過得真久。
天知道我的身體心也知道。
已經有人在空樹林子下頭。
聽不見聲音絡繹的在旋繞。
又由蟄眠裏醒了希望快樂……
都是它在作怪無一片晴和，

一二

我情願作一個郵政的人——
信封裏的悲哀熱烈希望，
好像包藏在白果裏的仁，
堆積在面前讓我來推想……
我也情願作郵務的車輛，
跟着包封裏的許多情感，
在車快的時候一同發狂；
或者咕噥要是車走得慢……
我又情願作信封來觀看，
接信時的許多許多面孔，
有各種表情變化在開函，
展讀的時候向上邊紛擁……
我更情願作徼幸的信封
去游熱帶寒帶坐船航空—

石門集

一二三

一四

啊·靈魂·我們是一對孩子——

我少不了你你也要居所——

在人生的書裏我們認字；

一同游戲，一同啼哭快活。

春天來了我們齊聲的說：

上路去罷路邊有木槿花。

高過我們的頭草裏藏躲

有金鈴兒顫鳴着小喇叭。

在沙灘裏我們一起玩沙．

曬太陽聽湖水舐岸作聲；

看雲行在天上水鳥在下；

湖風吹着只有我們二人——

等到晚鐘響了鳥兒在巢

我們也一起回家來睡覺。

十四行 英體

一二三

一五

石門集

世上所喜歡的人便是三種。

兒童逗引起了光明的迴憶。

沒有憂慮生長住慈愛之中；

又連貫起未來實體的希冀。

繁夥在世上有悲慘與痛苦。

難得的是破涕開顏能一笑——

不用藥的醫生花臉的神甫。

二一四

丑角臺上臺下的都不能少。

英雄是許多實現了的欲望——

自然的他們到處受人崇拜。

陸續不窮的幻夢附加而上，

他們便化爲一個象徵時代。

這三種人不怎麼喜歡自家。

因爲離心力是人性的大法。

一六

只是一鐮刀的月亮．帶兩顆星．
清涼灑脫在市廛定下來的夜；
遠方有犬吠車輛奔走過街心．
寥落的擾攘與喧罵已經安歇。
古老的情思驀然潮起在胸頭．
以及古老的意境．彷彿有羣蛙
搏動在原野內榆柳田舍河流

展開在夜露之中．在山麓之下．
山靈的喉舌微語着一條山溪；
彷彿是終古的松柏寶塔寺廟；
它們並不迎迓游客也不嫌棄．
要是他來了．坐在石磴上閑眺．
總是這麼古老悠遠的我幻想．
對了兩顆星與一鐮刀的月亮。

十四行　英體

二五

石門集

一七　蛙聲

是青蛙的稻田這一片蘆葦……
急劇的水鳥在與聲響接吻。
便是驢子都誇獎夜涼甜美——
柳條兒欵着氣那更是本分。
遠處有火車縣連的奔走在
迴聲的山谷中瀑布的崖下；
近處有綠瓶在肚子裏作怪．

有油紙作的玩具孩童正耍．
月亮是團臉的白癡在水裏．
他扔下來了許多珠子滾動．
鳧過水面的蛙兩條腿在踢
兩條白光頂上是白髮蓬蓬．
到明天再來看小荷葉淡青．
拿沒有熟的桃子晝在水心。

十四行

意體

一

石門集

一個一個的人就中蘊藏
有無限的情與無限的力．
衝突着他們摻合在一起．
再沒有相諧成美的時光……
不仁的神道大笑在天堂
俯視着他們所手編的戲．
永遠的風魔着沒有停息．

二八

自從生命開了端在水旁．
不如拏生命去賣給撒但……
不！撒但便是神道的化身．
神道的反面神道的奴僕．
儘管兜着圈子到了中途．
他會將你拋下來一個人
在他們的前面逗起狂歡！

二

我情願拿海闊天空扔掉．

只要你背給我一間小房——

像仁子蹲在果核的中央．

讓我來躲避外界的強暴；

讓我來領悟這生之大道．

脫胎換骨變成松子清香。

核桃內豐外嗇杏仁潤涼……

有的去給世人越吃越耍；

有的趁陽春飛越過山巔

那時候生根著葉起來慢

很慢的……百年後他伸手爪

〔他高呼低喚在黑夜白天〕

要抓住那青成年不變換

與那硬任風在四邊騷擾。

十四行 意體

一二九

我把過去摔在地上教它：

你泥沼裏去罷本來泥沼

是你的老家你不要再吵

鬧在耳邊……它却仍舊哇哇

作癩蝦蟆的笑聲它緊抓

緊抓住我的脚兩目奸狡

如蛇的釘住我我不能跑。

三

石門集

我不是懦夫我也咬起牙。

歪下頭去看……我一陣寒噤：

因爲這個醜物已經變作

我的模樣正在一套一套

變着各種的形……這時徧身

我出汗怒抖整顆心像割；

我暈了……它又鑽進了心竅……

一三〇

四

你這藏躲在冰凍常虧缺。
被陰影遮滿的月亮當中
一個老賊呀你趁了朦朧
睡眼時拿繩子打成死結。

牽了人進牢……牢裏有瘀血
而沸的寒冷有惡臭烘烘
那是癩蝦蟆吐的有苦工；

有百衲的虛僞……唉那雙闕
連雲氣的外表真像宮殿。
誘引得人世的少年女郎
你擠我的都向牢門蹧蹋……
還沒有天狗來咬斷鎖鍊；
只聽到牢裏在詛咒發狂……
唉愚人他早聾了那惡棍！

十四行　意體

〔二二〕

忽然我想起昭君．她不願
在後宮裏埋沒爲了一天
榮耀甘心用塞外幾十年
牛溲馬勃的生活來交換。
世間有的是那賭徒醉漢．
色鬼爲了一霎那肯把錢
力銷耗盡……到斷氣時榻前

五

石門集

二三一

有「不滿」彷彿在向他笑看；
「貧窮」「疾病」整天的在身畔
守望着不離開聽他呻吟
〔鬼魂似的不作聲瞧不見〕……
有時「迴憶」也湧來却黯淡．
不像是他那嘴曾經密親
他那手曾經密把的物件。

六

誰要走朝陽的路去三山，
尋不死之藥他必得掌舵
交給方士長久望星的莫；
切莫縱它交給童女童男⋯⋯
帶他們去並非爲的航船．
是爲了藥草深藏在寥漠，
「天眞」可以看見不須尋索．

凡人任多麼跋涉總盲然．
去了才知道何以那拋妻
祿的徐福情願在東海濱
那縹緲的山上一生逅逗．
秦始皇帝可以南登會稽
北登嶧山可惜他想紮人
尋藥來替自己延年益壽．

十四行　意體

一二三

七

石門集

那天我跨進了壯年的門檻。
瞧見人生在我的目前祖裸
無遺的現出真相驟然間我
瞠了目……這同夢想差得多遠！
失望仍然失望同時遁簡單
示見了唯有一個同趨之所
在這世間上那人事的繁夥

是路。那迷目的外表是遮攔。
可珍的是那夢想我決不能
挈它捨去它走的路與凡俗
同方向它的歸宿却在上方。
自古來新生鼓舞起的哲人，
他不顧徑中有訕笑與埋伏，
他的眼睛一直在觀看太陽。

八

古代的書說女鬼能在凡人　　　並非虛構她實在便是人生——

那想像的雙目前變成妖豔　　　聰明的人在幸福不告而來

蕩心意的容貌；不過到三遍　　　到身邊的時候欣欣然接受

難啼的時候要是還不放行。　　　並享取到了她告辭的時候

她黑暗之女就會現出原形。　　　他並不去強留因為他明白……

撲上來抓住這人撕成肉片。　　　可憐的是癡人這幻影他要

這兩面的女妖今朝我發現。　　　留下來他不肯聽一聽雞叫—

十四行　意體

一二五

九

石門集

我有一顆心．她受不慣幽閉．
屢次逃了出來向過路的人
歌唱．好像孩童在歡樂撞門
那時候遇了人便傾吐喜氣。
大了她明白了當時的失意
與惱怒都是稚態別個那能
不挐這異樣之物來得無因

抱起來耍或是閃了身躲避？
從此她守著幽室一顰一笑
只讓自家看見也只讓自家
聽見夢中的囈語……要知道她
原是生物有時免不了要叫
喊出獄中的痛苦她却不容
這心聲送到陌生人的耳中。

一〇

辜負了這園林中的清氣.
從前只有麻雀力竭聲嘶.
依然唱不出佳妙的歌詞.
與鵲烏流俗般披着俏麗……
今天你來了這枝頭黃鸝
只是矜持的將你那調子
唱了並不曾拳尾端的紫.

身上的黃來賣弄着梳齊.
在翠氛中你如今是想念
什麼可是那鳳凰的國土.
你離開不久的詩歌之友.
你要知道這裏有那飛舞
在半空的鷹將戰聲高吼
威嚇着不容你在此留連!

十四行 意體

一二七

二十

石門集

一二八

誰都道這是沙漠唯有駱駝．
那迂緩的沈默在踏步前行；
前面有綠洲麼它不敢相信，
它拏袋子珍藏起泉水一勺。
「毀滅」在這裏安了家那作虐
為非的颶風是「毀滅」所親倖．
它能立起杜子來取悅它能

把高峯推倒了立刻變平坡．
可欽的是摩罕默德他坐在
天篷下望見了樂園的倒影；
他起身上馬領着他的信徒
一班虔誠的壯士向那仙境
疾馳而去了……他們留下凡夫
與駱駝在漠中一世受天災。

一二　悼徐志摩

突然你退臺了火神鼓風

捲去了羽翼之下的詞人．

「花間集」的後嗣那些愛聽

你吹笛子的有萬頭攢動；

他們聽一縷心情由七孔

洩漏出的時候替你酸辛……

也有人議論說是你本身．

並非笛子．在那兒受搬弄．

我這臺上的怎能不長歎．

這舉爾前來獻醜的絃管

已是寒傖又銷沈了一個！

到明天我們的來客定準

要受那一班去聽「玉堂春」

看時事電影的人們笑落！

十四行　意體

一二九

一三

石門集

這麼一件殘缺連我自家

都久已灰心了的咳朋友．

想不到你居然來了擎手

托起來撫摩徧它的亂疤！

或者風雖是吹雨雖是打

在這個肢體上佈滿了鏽

蹄子雖是來踩踩缺了口．

那質質堅硬的依舊無瑕。

那麼便由你放它在案上……

不要放在書箱底下殘缺

與完整本來不可以齊排。

放它在書箱裏除你而外．

更沒有人看見省得他咧

眼睛那時你也替我心傷。

一四

有一首詩懷在這顆心裏．
教我甘心輸引春的滋長
與秋的成熟來拳她培養．
培養着她的天眞與美麗。
一直到生命運成了周期．
爲了她我不能容許思想．
行爲的高位上坐着詩常……

十四行 意體

我的屏弱要扶持呀上帝！
你給我的生命．等到悔悟
已經被稚性踩蹦得無遺——
如今又給我詩你的恩惠！
放心那無從補救的前非．
它在提醒我只有一條路
在前面了……我不能再自棄！

一三一

一五　凍瘡

不見十多年了我們又重會．
這切膚的親熱還一似當先；
不同的是，如今我知道留戀
在冷落中留戀着你的相偎．
這其間有許多熱已經高飛；
有許多希望已經遮起笑臉……
剩下我一人在這空的冬天．

想着拋去的半生憂傷懊悔．
春天我不要瞧見它那暖風
會來搔我的臉皮低聲嘲弄
．說青春幸福如今去了那裏！
還是你多情又溫暖又凄涼．
不忘記我悄然的來到身旁
將沈滯挑動了點燃起記憶。

一六 情感與理智

在一場奇特的夢裏我瞧見
軀殼中化出來了一雙自我——
美麗天眞左邊的她正唱歌;
右邊的光芒繞體他舞寶劍。

那護身的白光關照到四面.
不容煩惱瀰的水絲毫透過.
同時煩惱澆上了音樂的波.

那情調更豐富節律更莊嚴。
這一架的殘剩我毫不關懷;
儘由你們去分了「人生」「破敗」
你們抓不住那永恆的一雙……
雖說他們的途徑各自東西
唯有在天空上唯有在夢裏
歌聲才叫得應那劍影低昂。

十四行　意體

一三三

一七　爾我的爭論

石門集

「人世間所有的都是些圜道。
一個丟了你還要踏上一個；
重複無聊的生命該你去過」
「但是有些路在陰沈下圍繞；
有些摟着光明看花思媚笑。」
「太陽亮的時候只聽你嚷渴——
冬天你才知道它便是快樂。」

「至少我能有迴憶照着寂寥……
不曾見過有黃鸝變作鸚哥．
天註定的我該走這個圜道——
它便是我的生命我的快樂．
只要它勾圓那怕珠子樣小．
天可憐這牢籠居然也擺脫；
我又能自在的啼自在的笑」

一八

任人去選柔戰鬥的剛。

「紗・但」是我所奉的主義……

柔軟的好比那絲綠意。

向着東風我索得了光。

那朵雙瓣的紅教我狂；

好比電光閃入了大氣。

鑽進心簽的那縷消息

給我緋紅又給我焦黃。

最新也最舊；不比其他．

這主義只須世上一天

還有活人它決不動搖……

不信去問那循環的草；

去問地心的那團火燄——

最好的還是問你自家。

十四行 意體

一三五

石門集

一九 Hawthorne

如其我能有你的那座茅屋．
日裏在廊前看暖色逗清幽；
晚上讀書或許陪伴着朋友．
聽栗子與柴薪對語在糖爐……
如其我能有你的深沈雙目
與但丁的一樣在蜂翼花頭
看見死去的蜂花裸裎顫抖．

又看齒條在巳朽的根袾……
如其我能像你那樣看人生
像看晚景知道那光華形象
只是日神在天上故弄狡獪；
只是一霎那的那蟲聲似海……
等到他去了唯有雲氣茫茫．
或許好些有一輪皓白東升。

一三六

二〇 寄麥葦子惠

為詩神你們犧牲了性命；
她可曾撒開手給了什麼……
她一定在肚裏暗笑呵呵
蔑然望着這愚魯的虔敬。
當然神的尊嚴不好侵凌；
同時她也是女子在寶座
坐退了虛榮心她也饑渴。

她也需要撐持最愛談心。
要偉大先得成功：要好詩．
你先得溫柔的把她抓住；
抓住了，盡量的你不妨要．
她自然會給你〔馴伏如貓．
體貼有如楊貴妃的狸奴〕
給你變幻光華如月如日。

十四行 意體

一三七

石門集

二一

這條江雖然半涸了還叫汨羅:

這裏的人或許還與當初一樣;

這白雲裏暮秋時令的白太陽

還照着不知在何處你的魂魄。

你留下了「偉大」的源泉我慶賀;

我更慶賀你能有所爲而死亡．

好比向了大湖蜿蜒着這波浪．

目標總不變雖說途中有頓挫．

在你誕生的地方呱呱我墮地．

我是一片紅葉一條少舵的船．

隨了秋水秋風的意向我漫游．

那詩靈（他便是我的宗主皇帝）

是前路如何連自己都不了然——

雖說他已經給與了鱤鯉浮漚．

二二

捧着六十塊圓璧魂靈呈獻
在人生的龕上有眞也有假；
有精也有粗那雕鏤成的花
盤繞過小周的月大周的年。

並非無量大的這廟宇莊嚴……
衆生的敬奉雖是全都收下．
存留的却並不多它們懸掛

十四行　意體

在楹柱上或是佩帶在胸前。

不作恆河的沙長此有圓璧
〔這是多麽可欽〕陪侍着芬芳．
光采恬靜長此供後人瞻仰；
魂魄也能燃着碧色的燈籠．

常來眺望往昔的辛勤幻夢
一直到全身頹圮入了汙泥。

沒有出息的是人．他需要熱．

雖說是惱人痛心的那冷靜．

非得無聊了沒有地方談心．

二三

石門集

他決不靠攏邊來搖動脣舌。

雖說睡眠有妻的一切賢德．

人並不縶它作目的只是憑

倚着它把今天的勞碌洗淨．

再作準備好享明天的煊赫。

死日月的兒子睡眠的生父．

有些人厭避因爲它是結束；

也有些人追尋想着拏最後．

不可避免的冷靜．改頭換面．

化作最高的熱人眞是可憐．

他要用罌粟花點綴滿墳頭—

一四〇

二四

潮汐的血仍舊敲開了紅門

又帶攏你仍舊跳着像當初——

你並不曾死去呀心是何故！

你化成了崖石任水沫狂噴．

任波濤鼓着長舌雷厲的問．

你總是冷然不答昂然而顧

那渾圓的天在委曲裏企慕

十四行　意體

它那尚不曾推測出的底蘊？

除非是烈火那在你的根株

底下跳盪着的循由了脈管．

將你胸膛裏的美噴成巨花……

那天會來麼……如今只有砑砍

與冷漠流露在外以及溫泉

它略爲指示出了你的豐富。

二五

在這個世界上談不到真偽．

善惡我們只能說有美有醜；

連這個都是憑了主觀儘有—

你認爲是醜的能將他迷媚。

美麗必能給與愉快的滋味；

那青天暖陽花草少年享受

就是行徧世界他們都異口

同聲的說道．這是美！這是美！

便只有這個標準人事與人……

全真的人古代也曾經追求．

却一無所獲並且該的揶笑；

沒有全善的人也並不需要……

有全美的人並能永遠存留．

只要你的心上永遠有愛情。

一四二

二六

如其有一天我不再作小鳥．
迴旋在溷濁的最下層空氣．
只聽到人類惹是非話柴米．
只看見人頭上茂生有煩惱！
如其有一天我能化作鷹高
飛入清冷的天在雲內滌翼；
追隕星；對太陽把眼睛瞪起．

娶那無上的光明向裏面跳……
下邊我看見有洋海在呼吸；
大江小河一齊蜿蜒去心臟．
山峯挺着她的奶孳育羣生——
也偶爾自人境飛上有風箏．
向着天與日發出錚聲嘹喨．
在生機蓬勃的時候春天裏。

十四行　意體

二七

我向你們致敬了從前與現在
與未來的一班偉人爲着理想．
你們犧牲了性命生趣的安享——
雖說愈剷除愈多的是那障礙．
物質差不多全被征服了；將來，
那生命玄祕矛盾一面能頌揚
一面又該詛咒的朝了新方向

在你們的手中也要完全更改。
縮地飛昇與許多古時的幻夢
已經創造成實體羅列在眼前——
除開一種便是一種長生不老……
在如此的世界長壽並不需要，
除非只有偉人存留在宇宙間
高擎着理想，即使摧毀了天空！

二八 W·H·Davies

我還比你好些雖說就世人
看來由地位上我已經墮落
有許多階級了……我仍舊是我．
一個作詩的不靠貧富分等！
我還比你好些那冷雨的繩
在荒野上圍住你無由擺脫．
它還沒有落上我的身雖說

我已經認識了風與人的冷．
我還比你好些暮色的絕望
那一種無憑倚無歡的感覺．
我還沒得有心地好的朋友．
男的女的不單用心還用手
來扶助——不是我那原可忽略．
是詩她落了火在我的身上．

十四行 意體

一四五

石門集

這許多百衲衣草簑長扁擔．
鱗比在甲板之上有如螞蟻．
不知有多少頭漂泊於水際
一片葉逃着不知什麼災難。
當時何必生育得如此的繁．
生下來供給寬裕人以歡喜
替「貧困」揚眉始終數十年裏．

二九

免不了奴事着齷齪與艱難。
有的是風浪來與生命之舟
作對……要靠純鋼憑不了朽木．
光燿的生命如欲達到歸宿。
不能螞蟻落水要鯉發龍吟．
要豎起旗杆來作萬里之游．
與風濤冰雪爲儔侶的大鯨。

一四六

三〇 Dante

自問我並不是你卧鬥境遇．
逼我走上了當時你的途徑；
開始浪游於生命弧的中心．
上人家的後樓梯吞着殘餘。
中古時代復興於我的疆域．
滿目是「紊亂」在蠕動．在橫行．
因爲帝國已經摧毀了已經

老朽了儒敎．一統變爲割據。
你所遭的大風暴久已渙散；
汙穢澱下了九層地獄九重
天更是時朗九級山更純潔……
在同樣的大風暴裏我欹斜
如一隻船難得看見在雲中
懸有那行星引着人去彼岸，

十四行 意體

一四七

石門集

一四八

三一　玉皇山

到頭來還不都是人造的偶像．

無論是玉皇上帝佛亞拉基督．！

還是愛國與平等科學與藝術．

以及任何物凡人類所能幻想——

何必枉費了如許的錢財信仰．

又何必去修去登這盤曲的路．

與那牽了人不放的力量相忤．

山頂上如其只有空洞的喬皇？

不然那開朗與新鮮那片江水；

在日光下冒起銀色的小火燄；

那白牆黑瓦紛擁着一片浮漚；

甚至於那疲乏健康的好朋友——

這些都羅列在朝山者的面前．

作天賜宣示他以無上的智慧。

三二

只是同樣的山嶺迴旋，
在這裏便增添了聲價；
因為有春天留戀着它．
「美麗」也安有一程驛站。
湖裏的便是岸上的山；
不過那青翠倒影而下．
在水裏顯得生動變化．

像戀愛的形影在心坎。
要翠環映出白的手指……
沒有山這湖水在薄暮
由那裏去染嫩綠藤黃？
由那裏在山餘輪廓時．
去尋這一片烟像綃縠
在迷離的水面上飄揚？

十四行　意體

一四九

三二

石門集

三十年的舊帳一筆勾銷．
金貴的是光陰不能浪費．
在簿上去查米是便宜貴
油鹽菜今天是吃了多少。
三十年的經歷却要藏好．
那便是你的資本與這對
血脈這團金不換的腦髓．

一五〇

這些骨頭天賜與的大條。
自從那根臍帶一刀割斷．
赤裸裸的你便來到世上。
一個渺小的單位數目零；
你的價值如何要瞧環境
可排列其他的單位在旁．
還要瞧．他是如何來計算。

三四

作詩的原不該生下。

並非我的是她的話。

應分的我受盡羞辱，

旁的我並不敢希望

又吃世間各種的苦──

只要這番堅忍詩神

比起有些人來還差。

能以知道是為了她。

詩神的侍從我不怕，

我也不理會人唾罵，

遠離了作一個凡夫；

為一個乞丐向神聖

這天賜的舌頭說出，

只好去求不能勉強。

十四行　意體

一五一

三五

一間房不嫌它小只要好安居；
四時有潔淨的衣服被褥妄暖；
下雨的日子一雙套鞋一把傘；
一頓飽餐帶水果菜不要鹽薑；
舊書鋪裏買的由詩歌到戲劇——
文學以外的書籍與到時也看；
最重要了寫詩作文的筆一管：

它是我的生活，也是我的歡娛。
不受歡迎的是疾病炎熱騷擾。
攘奪受我的詛咒零星這幾件
辛苦中得來的，自己還要理會
旁的我並不企求，也沒有需要。
除了中等的烟捲夠抽一整天……
常時的在夜裏七月冰膏一杯。

三六

十四行　意體

哼着電車來了．好像是埋怨
兜了一天的圈子還不休息；
它走過去好像是關在鍋底
一竈光明的火炒菜煮晚飯。
汽車好像是舞女滑過地板．
身披着光澤透明的在車裏；
安坐有行旅富庶或是游戲．

照了他們的話車開駛停站。
火車在夜裏呼聲特別的高——
玄秘朦朧的時候雖是奔走
於刻板的軌道也覺得上勁
好像是打哈欠偶爾叫一叫
輪船蹲伏在水面伸出舌頭
向了高飛的月亮向了衆星。

一五二

給我一個浪漫事！不論是「兇狠」
與「罪惡」安排起圈套等候「理想」；
還是漂泊在遠處沒有人異常
只有原始的「破壞」「創造」在混沌；
還是神仙未來希望者的乾坤……
只要一個浪漫事給我好阻擋
這現實戕害生機的我好宣暢

三七

這勇氣這感情的塊壘這糾紛！
樹木空虛了還是緊抓着大地
盲目的等候着一聲需一片熱
給與它們以蓬勃給與以春天……
自然不是來享福的活在地面
「淡漠」之領域不過這心在旅舍
要住六十年呀！那麼給它勇氣！

三八

受佑了醫藥人類的讐敵．
就中有唆使痛苦與涸惡
來蝕體戕生的一個妖魔．
什麼都降服不了除去你．
你的祭司儘有一生不息
守望到深夜中以求解脫
人世間苦惱的他們證果

爲呵護四方的大小神祇．
久已銷滅了他們的肉身；
却有籤有聖水留在龕上．
百無一爽的來超度苦難．
你的旨意也有僧侶廣傳
說有求者必應但是自強
不息的有靈光照在頭頂！

十四行　意體

一五五

三九 George Bernard Shaw

神聖的喜角望着這片故土．

你的那雙老眼或許要奇怪．

這麼奇特的一個中古時代

在搬演秘斯特瑞；或許也不……

只湧現了儒家道家的一幕．

於烟霧中以及唐朝的光采；

以及文化的摩銳利提存在

而沒有生長阻折了在中途．

不多時倦人的悲喜劇將有

又一場開演它的插劇你看……

開闔在招手……那是狄司的門……

七級的山下音樂也有亡魂——

脚底下是深穴風在嘯在喊——

他歌唱着你所熟諳的節奏。

四〇

是呀‧親愛的‧世界是如此淡薄……
並且如此忙亂像輪上的輻木；
越忙越熱它們在旋繞着車軸‧
那便是錢財生活的主宰惡魔！
不要望它了天排就的這大錯……
還有另一個車輪情感之幸福‧
也是天排就的……不然這條道路

如何去走且不用提遼遠頓挫‧
各有各的車輛雖是異於年代‧
形體當然親愛的那制作不良
照管不周的值得我們去歎息；
不過誰來歎息我誰又歎息你‧
要是——當然那決不會——在情感上‧
生活上——那可能——我們有了更改？

十四行 意體

一五七

四一

石門集

這便是戰神「破壞」的長子．
所留下的浪漫事有窟窿—
明的暗的瞪視在骷髏中
對了空虛光亮想着心思……
是那夜火燄窒息想到要死．
那摟抱給了你瘋狂劇痛；
還是憤然望着樹的盧空

再一度的你要嫣紅姹紫？
最慾旺最繁殖了那「破壞」
便是太陽都要讓它一半……
這幾千年的埋骨地你瞧！
天地間的美麗眞寶良好．
都要受它的蹂躪除非喊
叫出戰聲不顧成功失敗！

四二

可狂喜又可痛恨的情感！
如其沒有你．冰期在天下
儘管來往不會有人怕它．
由泥土之中將文化發展；
如其沒有你今日的人寰——
幸福已經在頭頂上噓噓——
也不會在水中儘是敲打．

沒有空手去抓住只好看．
是由你的手中過去生長
爲現在……你還要主有將來．
冷臉的你瞧着匹敵理智……
他的計謀儘管永無底止；
你的也一樣……寧可給破壞
得了人生——你的主權不讓！

十四行　意體

一五九

石門集

四三

你這個鬚髮皆白的老漢「寒冷」

沒有半絲生氣向着你我一看·

血液便凝滯了在手腳的脈管

又傳染到了傷風可惡的疾病。

自家老朽了來忌刻壯旺的人。

一聲不響你只是打噴嚏吐痰……

我的頭腦膨脹了；四肢在發顫

眼睛熱；握起拳頭來我蹬腳跟。

你好像外邊的樹木枯槁羸瘦……

夜裏我躺在牀上想起你不眠。

雖是蓋着厚的絨被想到這裏

我一身都溫暖了只希望永久

你便是這麼躺着……那時刻春天

是要歸我與樹木還是要歸你？

四四

撬着自家的孩子．在這春天．
一同去曬太陽吸花香草息……
他抽條長葉在溫和的氣裏；
我作山帶着他開朗了容顏．
又笑又說話他是鳥聲的尖
是石卵的圓潤是溪水的急……
康健灑上了身來．一點一滴

還有快樂它駘盪着在身前．
循環的生長着時與人與物．
雲不見了憂慮也已經消散……
我仰起頭來歌頌圓的蒼蒼．
不用知道他自己便是「生長」
到將來又一遭的他也要撬
他的孩子在春天走這條路！

十四行　意體

這一顆種子天用手指擎住；
除去扁圓而外更沒有形象．
渺小輕──一下拋落了在地上，

深檅色便吞進了深色的土……
土壤要是膂腴的擎這微物
來培養要是有春雨有太陽
它便會膨脹會發育……那時光．

四五

便是天的意旨也不能攔阻！
有許多的偉大蘊藏在渺小。
五穀是神工花兒肌理細膩．

噴出了濃香將人蝶給醉迷
樹木紛披着亮晶晶的綠袍
或是塔一般它的株柯十抱

將生慾高舉到天的視聽裏．

四六

上燈時候的都市通衢大道。
假寐於晌午的都醒了回來；
鉅大的螢放射流動着五采；
車輛擠着車輛在瘋狂喊叫；
鑼鼓聲中的廟會兩旁紛擾
在行道上有無量數的腦袋。
給光華迷眩了醉了……那樓臺

上面的夜在深深有誰去瞧！
好像是崖旁在炎熱的地帶
嘶鳴着的斑馬馳回過茂草。
又像是大樹頭上頂着雲靄。
在踊躍的炬光中刀槍珠寶
與血液在瘋癲鐃鈸在震駭，
鼓在澒洞……鸞荒的一夜舞蹈！

十四行　意體

一六三

並不曾徵求同意生到世上……

號碼已經印好的一張彩票；

便是遺傳環境呢已經排好——

多半的時候命運有車在將。

聽從擺佈童年是沒有話講；

學徒時代的光陰多半虛耗；

獨當一面的還算時來運到。

四七

石門集

一六四

雖說有的是口舌勞苦強粱。

黃金的情感思想快點藏起——

社會撐着跟跲遲慢的民船

來載人的船戶他慣會謀財。

微幸沒有被他被風浪謀害；

得你吃够了魚腥「死」在江岸

又等候着……他也不徵求同意!

四八

一二三四五六……因爲不眠．

我用了億兆人用的公式

來給夢神算路……

我數完了一百又數一千……

再而三三而四的儘遷延；

但是幾何夢神他總不齒。

擺起無窮大的架子像是

我等於零．我等於小數點……

這個難題教我頭腦發漲；

焦躁的銳角亂刺在心坎——

像是閉十的牌抓到手上；

商家在交易所賠了鉅萬．

一二三四的兵開到前方．

心七上八下的一隻算盤。

十四行　意懶

四九

不須柳浪聞鶯：只要春初．

微風欲雨的時候儘欹斜．

儘飄拂着柳條不曾著葉——

只是許多絲綫穿着香珠；

只是齋中書格旁的塵拂．

望着檀末的烟裊入深夜；

只是絲縧在西施那一捻

如蜂的腰上隨了她曼舞。

雨不來只有一薄層的烟

遮掩在羣蜂之上是畫圖．

年代久了蒙着一層雲霧。

由蒼壁轉成水銀了湖面

已經空了游艇薄幕的天；

是玉盒蓋下來地的薄幕。

五〇 Rabelais

並不是因為你生在古代．
也不是因為你忽略人生——
慾望神話中的那個巨人——
在你的書裏吞山也吞海——
道院遺名稱你所以拏來
刻在楣上這裏面有很深．
很遠的用意還有那院名

也一樣你的書像「奧第賽」．
同時又像山羊腿的神祇
所吹的一隻曲矛盾紊亂
沸騰在遒勁的節奏當中；
腳下是青草頂上是太空；
在古代樂調許多的海船
飄揚進了永恆的水聲裏．

十四行　意體

一六七

石門集

五一

横越過空間的山時間的水．

向你我們呼出了最後的一聲……

從此我們是依然分道而行．

像從前那樣沒有溫柔陶醉．

你受祝福了！……只須登涉崔巍．

月明人靜的時候你能實認

這眞的我何以到今日才肯

喊出來這最先最後的一回！

慳吝的命運人怎麼去埋怨？

這百紀的賦受中並無美滿──

何況是他孳這美妙的形象

給與我了時光愈久愈溫柔！

永別了呈與你的只容我有

這一聲遼遠的鬱結的瘋狂．

五二　何歆齊

啊，盲目的先知者看見光明
在黑暗之中分不開二而一；
又看見那一身兩面的神祇，
與頂禮膜拜者的聲調形影。
一個聲音生的便只是聲音——
你歌唱出日神所宣示的謎：
說遠征的「熱烈」是如何快意。

「智慧」的歸家又是多麼艱辛；
說人生開始於美麗的攘奪，
說人生終結在另一種美麗，
中間是風浪屠宰淘濁鬆弛……
如此遵照了神祇們的意旨，
它完了……至於他們的那遊戲，
盲人，你並不知道怎樣結果。

十四行　意體

一六九

雲霾升起於太空了水面

有蜻蜓低舞喧噪着烏鴉；

像樹葉在深秋旋繞而下

草坪在風內急劇的蹁躚。

我的太陽已經行到中天——

可是陰沈着並沒有光華．

蒼白的好像睡眠在枮楊．

五三

悄然無語的病人那張臉．

過去是一個悠久的晨間．

同時又短促也鵑見烏啼

也看見太陽蝸行在窗上．

在如今這時候正能默想

巳逝的溫柔成灰的友誼．

以及將臨的暴風雨來年．

一七〇

五四 Don Juan

或許最浪漫的你這個怪物
同時也便是最忠實於人性。
人本不是神祇那永恆的精
超出了他的能力便只有粗
與雲那的精爲他所能所驚——
便是神祇人類的較大形影。
也是永恆的在捨了舊趨新

永恆的獲得不着圓滿厭足。
人與獸或許沒有多少縣殊。
高越的理想永遠遠是理想
好容易造作成了又去毀滅……
赤裸裸的只留下本性急切
要暫時的滿足是一陣瘋狂。
一上了身連什麼它也不顧。

十四行 意體

第四編

散文詩

一

「進化」走着她的路。路的一旁是
山．骷髏與骨殖堆聚成的冷得白得像
喜瑪拉亞高峯上的永恆不變的雪．路
的一旁是水血液滙聚成的熱得紅得
像朝陽裏的江河永恆的流動着．但是
她的道路上．她的衣袿上她的頭髮上．
她的面龐上她的心坎上是花白的與
紅的。

她唱着她的歌．歌詞沒有一個人．
一頭獸一隻鳥一條魚一個蟲一棵樹
一塊石能聽懂．但是在她的歌聲之內
他們鼓舞起來了⋯⋯一面他們自食
互食。

由飛蛾一直到愛因施坦．或是飛
越過赤血的河．或是攀援過白骨的山．
他們輻聚來她的身邊來瞻仰她的容

顏來膜拜來捧呈上他們的貢品。

石門集

幸福的是他們那些得到了她的
一笑的他們從此以後便有太陽的熱
烈與月亮的冷靜永駐在他們的心坎
上以及星辰的燦爛在他們的思潮中
聲響中以及天河的優美在他們的姿
態中。

略不停留的她走着她的路口裏
唱歌。

看不見她何默爾揚起了歌聲在

黑暗中悲妥芬迴憶着她的光華的節
奏米克朗吉婁爲了她銷瘦廢寢忘餐。
達汶契失望了擱下了他的已經提起
有一半的筆。

向了天邊她走去向了虹的路。

儘管地震儘管有警告的彗星撞
來她的歌聲是再也沒有停息過像天
河一樣她行走着她的永恆的路在白
骨的山坡上在赤血的河旁，

散文詩

二

我頌揚一切的「偉大」

它們是太空中的許多太陽．在它們的熱烈的擁抱之下我們生育在它們的光華的瞬視之下．我們生長。

它們來了一切都改變的形象。

一切之上有「美」的光輪在燦爛。

生存在它們的氛圍中是幸福的。

沒有萎靡沒有迂滯沒有渺小……沒有一切的「偉大」的對象便是雷便是風暴．它們「偉大」的反面也是偉大的。

在詛咒着你的聲響中同時我們頌揚——啊「偉大」我們愛你！

我是一片青草；我是一片綠葉。

我是小溪我是江河裏的一個波浪．我是洋海中的一朵浮漚！

散文詩

一七七

石門集

綠葉落了又有綠葉。

星宿死了它們的靈魂在太空之
上。
仍然燦爛着光明——

太陽收斂了光與熱歸返到星雲
之內……在星雲的胞胎內又有新的
太陽在創造！

啊「偉大」一切的「偉大」我頌揚
你們！

散文詩

三

詩靈「一」裏的「一」『光明』裏的
「光明」！你給了我熱你給了我智慧你
給了我堅忍你詩靈啊還要繼續的給
我。給我更多的！

——一天我又活一遍。「過去」你收藏
着——給我精華精粗呢你去踐踏
踏在脚下「未來」在你的手掌中——
給我如我所應得的！

給我眼睛。好看到你的各相我好
知道怎樣來讚頌你。一點不錯一點不
漏！

給我耳朵：我好通盤的聽見那許
多的讚頌你的歌聲給我聰明：我好�
它們一齊聽懂來改善我的歌喉頌辭。
來激發我的勇敢！

在膜拜你之中我驕傲。在膜拜一

散文詩

一七九

石門集

切的「二」一切的「光明」之中我驕傲。

一八〇

切的「光明」的讐敵！

給我憤恨·我好來憤恨一切的「二」一
切的「二」一切的「光明」之中我驕傲。

第

五

編

陰差陽錯 （詩劇）

人：

男——畫者，

女——他的愛人。

畫者之母。

景：

臥室。

坐在牀沿母坐臂椅中。

女 〔揭開被單向着死者的臉瞪
視了許久舉出提琴來站在牀
邊奏挽歌一曲。〕

——這是你喜歡的一曲在生前……

哪還記得你當時靜聽着的臉．

我也是這麼遼遠也是這麼嚴肅……

這是最後一回了…除非在墳墓

男躺在牀上白被單蒙起了頭部。女

陰差陽錯

一九三

前頭我再來奏給你聽那時光．
這一串乳白的情感在節奏上．
你聽得見它應這黑色的悲嘶．
石門集
隔了一層青草的土…你當眞死
死了？…不!我不相信在我的心裏
你還活着這熱烈這一腔情意
與那聲腔神色與那許多的吻—
這些都還抓住我的肉抱住魂．
不放一直要到我死的那一天．
它們才會鬆手並且在人世間．
你還留下了這許多的畫…放心．
我自然會保護這些你的性命．

母

這些你的痛若瘋狂它們同時
也就是我的．到將來總有一日
像許多畫家那樣人家會了解
你的眞價人本來是這樣黑夜
來了他才想白天老了想少壯；
畫家死了他們才會歎息誇張．
用不着他們誇張也不須歎息—
他那裏聽得見徒然苦了自己
一世沒有享過福還要替我們
日夜操心這麼幾張畫我要問．
就能夠換去我的一個好兒子？
兒啊!我看見你生了又看你死？

一八四

女

或者有人看中了要買你的畫.

但是.我在手裏怎麼能收得下

錢拏你的性命換來的?

女　　　　　　不要哭.

婆婆不要哭了—要是這樣稱呼

我向來沒有用過的你聽得慣

我就這樣稱呼罷—已經有兩晚

你不曾睡過好覺了.你老人家.

下午又要勞神我攙着去樓下

歇一會最好…

男

〔在女來蓋起面部的時候睜

開眼睛.〕

陰差陽錯

女　　　　　　路好遠啊—

　　　　　　　呀…怎麼…

女　　　　　　媽.來看他活了.素心又活了—

母　　　　　　　　　　　　活—

　　　　　　　誰?素心?

女　　　　　　活了又活了—

男　　　　　　二妹.你來…

女　　　　　　我不行了呀…他自己沒有…奇

怪…口音也不對…啊想必是才

甦醒神氣還不清爽…

男　　　　　　你們是誰?

母

男　〔與女〕

一八五

— 197 —

石門集

男　〔有女扶起身來靠坐在牀上；
　　母端過水來餵他〕
　　不敢當這些事情可以叫喜子。
　　兩位貴姓怎麼知道我的名子？
　　多麼甜多麼爽神這一盃白水。
　　這是媽這裏並沒有你的二妹
　　如其是眞的你當時的一番話——
　　你醒過來了麼這是我這是媽。
　　不能够把自己的母親這三天。
　　就忘記掉了我倒還沒有改變。
　　在這三天裏面。

女　素心〔

男　一八六

　　我…我也是女流…
　　這位姐姐你爲什麼身上發抖？
　　這裏不是陽間麼我還是陰魂
　　在陰司裏麼這裏又並不混沌…
　　怎麼？這是誰替我換上了男裝？
　　這雙手怎麼與我的完全不像——
　　這是誰替我戴上了結婚戒指
　　在這裏…那決不可以…絕對不
　　是…我是一世上一回不結婚的；你們
　　不必來勉强我。
　　包裹我不是化服了藤黃麼這
　　一回照樣的我還是要化服它。

女　除非你們答應了我一世不提
　　結婚！
　　〔想可是取不下戒指來〕

男　你不頭昏了？

女　　我的頭已經不昏。
　　是醒話？

男　你糊纏的一番話並不是夢麼

女　　除非是我還在陰司裏。
　　那麼還是你的戒指現在退還。

男　這是什麼意思奇怪…

母　　　　讓我來看。
　　湄波．你不要忙說來你會不信—

陰差陽錯

男　　車。
　　也許是這樣貴姓？
　　女魂復活在男子的這次多成
　　男魂便會復活在女子的尸身．
　　他們必得要放回；有時再一錯
　　攝去了壽限還沒有到的魂魄
　　要是勾魂的鬼差錯了．在陽間
　　陰司裏不能夠增加也不好減；
　　從前講凡人的壽限早已註定．

母　　啊．車…果然！
　　我猜對了；我們的韋字你驟看，
　　不是像車字麼府上那裏？

一八七

男

石門集

北平。

母

原來就是本城裏，現在我請您
把家身詳細說說要是您的氣
已經歇過來了。不用擔驚著急。
這裏是陽間是北平不過我們
姓韋並非韋府上想必是遊魂
您還錯了素心是我的男孩子。
前天過去的…這都是鬼差該死！
誤了事，

男

…不好我穿的這是男裝…
這怎麼辦在一個男子的身上
我還過了魂來啊啊我的災難！

一八八

這一身男子的衣我要是不穿。
我又明明的是男子要是穿著。
我又擺開不了這個女的羞縮
在心裏哪連死都不能自主？
我不要活了偏偏還教我吃苦—
如其是不該我還陽的那麼天
你這番差錯真是殘忍的作踐。
無論是你有意這樣還是無意…
我的家身麼？我不惜願再重提。
除開了這一句是我不要自家—
肯讓人知道的我又何必自殺
在當時每人的心裏可不都是

陰差陽錯

母

藏着有一兩件事情只讓天知，
地知與己知的那應請不要問
我的前世還要請不必去追根
究底…既然作了男子了活一天
就有一天的來了事…媽你睡眼
朦朧了應該回到房裏去休息
休息一下；這三天也累够了你。
我知道。涓姊您可以坐下談心——
不過我倦了，只好您談我來聽。
你想把我們賺開麼那不能够！
你還是我的骨也還是我的肉。
雖說魂魄不是了雖說是聲音

女

好像小生又像扮叢生的神佾。
兒子是已經夫掉一半了；還有
這一半我決不肯輕容易放手。
你自己才豈殘忍哪怎麼能說
天不管是有意還是無意的錯？
還了魂你只好既來之則安之；
你並不是天能够把一切的事
按照了你心中的意思去安排。
好比在前世為了自己的痛快。
你自殺了至於家裏人的心境—
你的家裏有些什麼人？

男

有父親

一八九

－ 201 －

石門集

女　同一個妹子。
　　　　—是呀他們的痛苦。整天睡在牀上的看它。林黛玉。

男　喜子想必是你的丫鬟了？
　　你就像是扔了尸首那樣不顯。正是。不用講你最崇拜了我在過去
　　　　　　　　　　　　　　也是一樣的你倒用不着紅臉。
　　　　　　　　　　　　　　不好意思你們這一班小姐天
　　　　　　　　　　　　　　恐怕是一番好心腸教你逗魂

女　那麼你並不是沒有衣穿飯吃…
　　好生一個閨女—你愛看「紅樓
　　夢」？
　　　　　　　　　在一個男子的身體裏並不問
　　　　　　　　　你情願不情願。好像是我久已
　　　　　　　　　與迷信絕了緣的不管我願意

男　當然!你不愛看它麼？
　　　　　　　　　不願意天又掔了你放在面前。

女　現在不比從前了；從前我不單
　　是愛看它並且不穿衣不吃飯。
　　　　　　情形不同—
　　　　　　　　　一個我愛過的肉體可是裏面

母　　　　　　　已經沒有我愛的靈魂了。　素心。

女

不要聽了湄波的這番話吃驚
到那樣脾氣雖說是躁一點她
有的是一顆真心半點也不假。
她同我們一起吃的苦有的是。
真是數不完的我只說一件事
來給你聽…

母

沒有配鏡框的）
　　還有這張乍一看。
你的臉上怕要迸出小姐的汗。
你的那雙小姐眼睛怕要連忙
閉起來罷!現在你正好想
一想那兩張裸體是不是略為
有一點像我雖說是有衣服堆
砌在我的身上?　　夠了夠了!湄波。

　　已往的事不必再提。

她老是這麼說話人…當初笑我
也笑得有的在我初來到這裏
同你一起住的時候剛才提起

看來你是會畫畫的—

〔由牆上取來一個鏡框〕

你以為怎樣?　　這張裸體

〔打開鎖着的抽屜取來一張

陰差陽錯

一九

－ 203 －

石門集

女　要說一件她的事給你聽……

　　　　陰司

　　你去過了．它是一個什麼樣子．
　　你說給我們來聽聽看當真有
　　十殿閻羅奈河等等像小時候
　　所聽見的在書裏所看到的那樣?
　　嘗如說罷你是自殺的在殿上
　　判了你受什麼罪受完了才送

男　你回到陽間?

母　餓了罷?　　我先起來……　你肚中

男　有點。

　　現成的牛奶點心．

母　這四天裏面她很少閉起眼睛．
　　休息過．不是在家裏就是出去
　　張羅一切剛才說的……　記着不許

女　再開口了……　這孩子就是不喜歡

母　聽人家說她的好處你不要看
　　她外面是這麼樣熱鬧在心裏
　　她才真老成呢她浪漫在口頭
　　不在嘴上．

一九二

男　　她同我的表哥倒有⋯

陰司與我們所想的完全不同、

　〔吃着點心牛奶。〕

並沒有牛頭馬面與其他各種

醜惡的鬼差他們是一些聲音．

只聽得見看不見的；他們引領

魂魄去投生趑死有時也變化

作山水鳥獸男女那只是謊話

人的安慰人的。

女　　　　　他們變作了誰

母　來安慰過你？你的表哥對不對？

人家說着正經話你也開玩笑。

陰差陽錯

女　再這樣不置是耍心我也會惱．

一個人去過一趟陰司了眼界．

比起前世來總該要寬闊一些．

男　閻羅有沒有我並不知道雖說

我去過一趟陰司可曾罰了我

受什麼罪沒有我也並不知道．

也可以說是忘記了奈河一到．

鬼差就帶了我走過一個圓亭—

過河去投生便只有這條路徑—

亭子是赤銅鑄的有三根銅柱

撐着亭子裏一片乳白色的霧．

鬼差說是柱頂上有三個水口。

一九三

石門集

女
龍頭的它們所噴出來的。我走
霧裏出了亭子把陰司的一切
便都忘記了。那霧的味道有些
像蜜蒸的苦瓜。一半苦一半甜。
又有些像糖融在藥汁的中間——

男
比起這盌牛奶來你覺得如何？
——這霧鬼差講是守亭人從奈河
引來噴下的。走過銅亭子的底下。
明明是還有兩座圓亭子銀瓦。
銀柱的與鐵瓦鐵柱的我同時

母
也看見了…我記錯了…
人本來是

一九四

男
有三個魂的所以講「三魂七魄」。
那就對了。這一對亭子差不多
與銅亭一樣只是沒有霧正中
是水池圓形石砌的水裏挺勁
有蝌蚪看不見魚龍蟠的石柱
頂上有三個龍頭源源的傾注
白水——黑水。

女
偉大的夢在纖細裏
蘊藏；等將來我看你提起畫筆
來書出這個夢這枝筆你記著
是一個藝神的兒子真摯超脫。
專一熱烈嚴肅他所留了下來

給後人的；他已經缺入了大海，
那片烟霧的海在生命這河流
所傾注進去的一端，一聲說走，
他踏步便上了死之舟去玄祕，
不容迴顧的遠方與那國度裏
那許多爲了理想而鼓舞的人
去永久同住了。這些他所遺剩
下來的幻夢那裏當得了生前
他所幻夢過的一半它們裏面
也有，我知道要與草木同朽；
但是在他的心目前曾經逗留
輝耀過藝神屢次的這也是我

陰差陽錯

一九五

男

所知道的，這未竟之業要閃躱
它的，除非是弱者！我們由古代
襲承了這人生難道傳入未來
手裏的時候我們能夠不增加
即便是一點的金一點的光華，
一點的向上心麼？
——湄妹！好一顆！——
雄壯的願心言詞是多麼燦爛，
儘有女子的魂魄綫一樣的細，
針一樣的尖銳在畫家的身體
裏面投生了它織成天衣無縫
去獻與天帝——一個神祇的女紅！

石門集

女　我去了。

〔下。〕

一九六

母　你該信了我說的不錯？

男　信了；雖說是猛一點⋯⋯幾乎錯過。

中華民國二十三年六月初版

文學研究
會叢書 石門集 一冊

（二一八六二）

每册定價大洋陸角

外埠酌加運費匯費

著作者　　朱　湘
　　　　　上海河南路

發行人　　王雲五
　　　　　上海河南路

印刷所　　商務印書館
　　　　　上海及各埠

發行所　　商務印書館

（本書校對者蔡仲宣）

二八五五上